劉福春・李怡 主編

民國文學珍稀文獻集成

第二輯

新詩舊集影印叢編　第58冊

【蔣光慈卷】

哭訴

上海：春野書店 1928 年 3 月初版

蔣光慈 著

光慈詩選

上海：現代書局 1928 年 9 月版

蔣光慈 著

鄉情集

上海：北新書局 1930 年 2 月初版 3 月再版

蔣光慈 著

花木蘭文化事業有限公司

國家圖書館出版品預行編目資料

哭訴／光慈詩選／鄉情集／蔣光慈　著 — 初版 — 新北市：花木蘭文化事業有限公司，2017〔民106〕

52面／72面／102面；19×26公分

（民國文學珍稀文獻集成・第二輯・新詩舊集影印叢編　第58冊）

ISBN 978-986-485-151-5（套書精裝）

831.8　　106013764

ISBN-978-986-485-151-5

9789864851515

民國文學珍稀文獻集成・第二輯・新詩舊集影印叢編（51-85冊）

第58冊

哭訴
光慈詩選
鄉情集

著　者　蔣光慈
主　編　劉福春、李怡
企　劃　首都師範大學中國詩歌研究中心
北京師範大學民國歷史文化與文學研究中心
（臺灣）政治大學民國歷史文化與文學研究中心
總編輯　杜潔祥
副總編輯　楊嘉樂
編　輯　許郁翎、王筑　美術編輯　陳逸婷
出　版　花木蘭文化事業有限公司
社　長　高小娟
聯絡地址　235 新北市中和區中安街七二號十三樓
電話：02-2923-1455／傳眞：02-2923-1452
網　址　http://www.huamulan.tw 信箱 hml 810518@gmail.com
印　刷　普羅文化出版廣告事業
初　版　2017年9月
定　價　第二輯51-85冊（精裝）新台幣88,000元

哭訴

蔣光慈 著

春野書店（上海）一九二八年三月初版。原書五十開。

哭訴

上海春野書店印行

1928

上海春野書店印行
1928

一九二八年三月十八日初版　一——二千冊

每冊實價大洋二角

哭訴

——寫給母親——

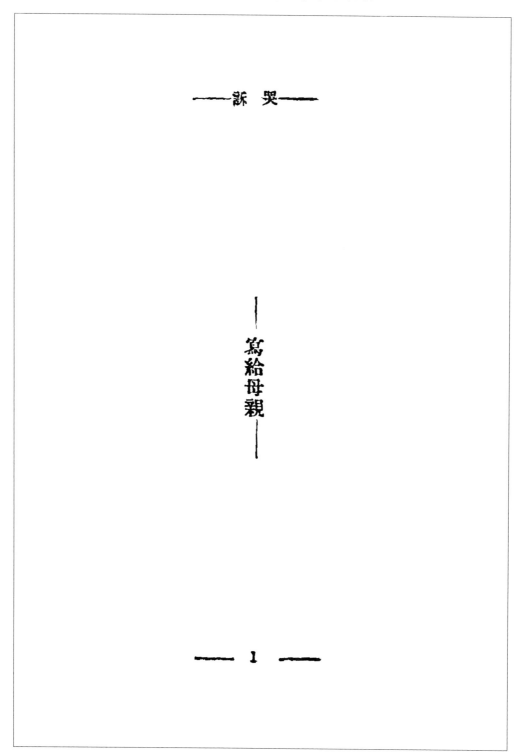

I

——訴　哭——

——訴　哭——

母親，我的母親，我的親愛的母親！
我離開你，算起來，已經是七年有零；
平素我也想念你，想念到你念子的心情，
但是現在呵，我却想伏在你的慈愛的懷裏，
盡量地盡量地哭訴我這七年來的悲憤。

母親，請你寬恕我，寬恕我到悲憤的時候，
我只想伏在你的慈懷裏盡量地盡量地哭訴；
因爲除開你，再沒有別人能夠同情地接受；
我就是向他們哭破了喉嚨，叫啞了聲音，
怕也只能得到笑駡一場，惡語幾聲，沒有好處。

哭訴

母親，在此茫茫的世界上，你是愛我的第一人，
就使你埋怨我這流浪的兒子忘了家，不知孝順，
但是我的母親，你總是懷着愛子的慈心，
到今朝，到今朝當我向你哀痛地哭訴的時候，
難道你能冷然地不說一聲『我的兒！我真心疼……？』

呵！我的母親，我要盡量地盡量地向你哭訴，
倘若我再不向你哭訴，我只有悶死的一路；
社會是這樣地黑暗，人心是這樣地殘酷！
你知否你的兒子是如何地倔強，奮鬥，吃苦？……
唉！到而今呵，我的心靈上已密密地滿了傷處！

II

—— 哭 訴 ——

— 6 —

曾憶起我離家的那一年，那一年的春天，
那時是楊柳初綠，草兒初青，野花兒初露臉；
在一個清醒明媚的朝晨，你送我一程又一程，
我說，『母親，回去罷！』你說，『兒呵，你幾時才回還？』

你走送我，走送我到你不能再上去的山巔，
你目送我，目送我到林木遮蔽着不能再見；
你只希望我，叮嚀我『我的兒呵，暑假早回還！』
又誰知一別七年，到而今我還是未返家園。

——訴　哭——

就在離家這一年的春天，我離開了悲哀的祖國，
跑到那冰天雪地的冷土，探求那新邦的生活；
我是毅然地，冒險地，但同時又是偷偷地跑脫，
呵，我的母親，請你寬恕我，我沒給你字兒一個。

我經受了海船的顛簸，度過了海參威驚人的炮火；
我吃飽了西北利亞的霜風，沐浴了荒漠的月波，
在飢餓，危險，寒冷，困苦之中我尋到了，
呵，我尋到了我的最後的目的地，夢想的摩西哥。

—— 8 ——

——訴 哭——

摩西哥變成了我的親愛的乳娘，給了我許多培養；
摩西哥變成了我的第二故鄉，我將留戀牠永遠不忘。
可是我還有我的母親，我還有我的原來的故鄉，
我還忘不了悲哀的祖國，母親，我也不能將你遺忘。

過了四年，別了，我的親愛的乳娘！
過了四年，別了，我的第二故鄉！
我要回去看看母親，因爲母親你正爲着我而惆悵；
我要回去看看祖國，因爲祖國而今已弄得滿目荒涼……

——哭　訴——

歸國後，東西飄寄，南北奔走，無所駐足；
祖國雖大，但是沒有地方給與我以安穩的勾留，
我屢次想回來親親我那清靜的美麗的家園，
看看那如黛的青山，幽雅的松竹，兒時游泳的河灣……
但是滿目荒涼的祖國，而今到處是炮火烽烟，令人胆寒，
家園的歸路久已不通，家園已非昔日的家園。
我的母親呵，我雖然想回來看看你衰老的容顏，
但是我又怎麼能夠呢？我只空有這回家的心願！

一年，兩年，三年，你的望眼將穿；
一年，兩年，三年，我的歸心似箭；
我要回來看看母親而不能夠回來，
你要見見你的兒子而不能夠相見。

——訴 哭——

阿！今日的中國乃一塊荊棘蓬蔓的荒原！
呵！今日的中國人弄得骨肉都不能團圓！
母親，我的可憐的母親，我的親愛的母親！
這將如何是好呢，難道說是命運使然？……

——哭 訴——

III

——訴 哭——

——哭訴——

歸國後，匆匆地，茫然地，不覺轉瞬已三年，
這其間我所領受的羞辱，苦痛，眞是不堪言！
母親呵，我現在只有向你哭訴，只有向你哭訴，
因爲在別人面前示弱，乞憐，哀語，我心不甘願。

往日的朋友有許多發財的發財，做官的做官，
今日的朋友也不少投降的投降，丟臉的丟臉。
但是母親呵，你給與了我這一副鐵一般的骨頭，
我只知道倔強，抵抗，悲憤，頑固，至死也不變。

——訴 哭——

而今的世界貴的是强奪，卑汚，下賤，拍馬與鑽營……
哪裏容留我這一個倔强不化的，傲骨的詩人？
雖然是有許多往日的朋友肥馬輕裘地顯得多麼威榮；
但是母親呵，我得到的只是窮困，窮困與窮困。

照俗風，讀書原來是爲着褒揚父母，光耀門庭，
但是母親呵，不幸你的兒子讀了書反遭窮困；
到今日我未寄過你點兒禮物，半個分文，
異鄉的銀錢雖多，但是你的兒子沒有享受的福分。

——訴 哭——

曾記得幼時，幾個窮苦的母舅對我的希望，
他們希望我將來做官發財，，改一改他們的窘狀；
可是而今我成爲一個窮困的流浪的詩人，
只得將他們的希望付與汪洋，請他們原諒。

母親呵！而今的世界到處可聽着窮苦的哀鳴，
這哀鳴只逼得你的心軟的兒子神魂不定；
他要爲着一般窮苦的人們多多地多多地歌吟，
但無能力顧及幾個窮苦的母舅，自己的親人……

Ⅲ

——訴　哭——

曾憶起幼時我愛讀遊俠的事跡，
那時我的小心靈中早種下不平的種子；
到如今，到如今呵，我依然如昔，
我還是生活在令人難耐的不平的空氣裏。

——訴 哭——

不平的生活逼得我走入瘋狂；
不平的生活逼得我氣破胸膛。
爲着過不慣不平的生活，我才流浪。
母親呵，我抱怨你給了我這鐵一般的骨頭，
不能卑屈地追隨着濁流的波蕩。

——訴　哭——

而今的世界是黑暗的地獄，兇殘的屠場，
只有無目的人能夠安居，心死的人才能觀望；
但是母親呵，我的目在明亮，我的心在緊張，
我怎能夠，唉，我怎能夠靜默着不發一點兒聲響？

我恨不能跑到那高入雲霄的崑崙山巔，
在那裏做巨大的，如霹靂一般的狂喊；
我恨不能傾瀉那浩蕩無際的東海的洪波，
洗盡人類的羞辱，殘忍，悲痛與汚點。

呵，我只恨，我只恨，我的心願大而能力小，
我頸衝破重困，而敵人據着堅固的營壘；
我幾次負傷，我幾次心痛，我幾次悲號，
但是我呵，我終於不曾爲羞辱的脫逃。

——哭 訴——

V

——哭 訴——

——訴 哭——

祖國而今變成了鬼氣森森的死城，
無論走幾步你都要嗅着血肉的羶腥！
往日的殺人是稀有的新聞，動人觀聽，
但是而今呵，這新聞已經不成其爲新聞……

在歷史上我們曾憶起許多專制的暴君：
焚書坑儒的秦始皇，帝制自爲的袁項城……
但是而今的暴君幻着革命黨人的形影，
他們比秦始皇還橫暴，比袁項城更爲殘忍！

——哭訴——

今年的黃浦江中鼓蕩着血潮，
偌大的上海城但聞鬼哭與神號；
無數的志士他們就此被惡魔葬送了，
遺留下的，呵，只有這嗚咽的浪濤。

今年的龍華桃花盛行開放，
紅艷的花瓣兒隨着那春風飄蕩；
呵，這不是花瓣兒，這不是花瓣兒，
這是那些被犧牲的人們的血光。

母親呵，我簡直要瘋狂，我簡直要瘋狂！
我的這一些柔的心靈怎經得這般摧喪；
我幾番想道，我還是追隨着他們死去罷，
我眞是再忍受不下了這些食人的魍魎。

我幾番立在黃鶴樓頭向着雲山痛哭，
我的悲憤助長了那滾滾的江漢的波流；
那滾滾的江漢的波流似乎嗚咽地說道：
『詩人呵，痛哭罷，祖國而今到了淪亡的時候……』

——訴 哭——

——哭訴——

向北望罷武勝關外掩埋着萬千的寃鬼，
說道是他們爲着革命與爲着民衆而戰死，
可是他們犧牲了，戰死了，得到一些什麽呢？
殺工人，殺農民……呵，這就是政府的奠禮！

呵，不忍聽的瀟湘的凄風苦雨在哭泣，
哭泣那無數的農民死在『革命軍』的手裏。
只道是民衆要興起，只道是耕者要有土地，
又誰知興起了反遭屠殺，土地還是屬於老爺呢？

——訴 哭——

唉！不說起也罷，說起來我的心痛如刀絞！
我縱想到黑暗，我也沒想到會有黑暗的今朝。
什麽是正義，人道，現在只是殘忍與橫暴……
呵，我的祖國呵，難道說你的命運就長此以終了？

我幾次想投筆從軍，將筆桿換爲槍桿，
祖國已經要淪亡了，我還寫什麽無用的詩篇？
而今的詩人是廢物了，強者應握有槍桿，
我應當勇敢地荷着武器與敵人相見於陣前……

——哭訴——

呵，戰死了罷，戰死了罷，戰死在陣前！
死時的失敗，我相信，勝於活時的偷安，
這敵人，這敵人，我眞不願與他們並立在世間，
不是我們被他們殺死呀，就是他們死在我們前。

我爲我自己羞，我爲我自己哭：
無用的詩人呵，你不能將祖國來救！
停止你的歌吟罷，不要空自做無力的憂愁；
焚毀你的詩篇罷，應顯一顯男兒的身手！

Ⅵ

——訴 哭——

——訴　哭——

母親呵，我知道你不能明白我心靈的要求，
你聽了我的話，你一定將你的雙眉緊皺：
『我的兒，你枉自懷着這些悲憤與憂愁，
這些都不是你應管的事情，何不罷休？

『什麼革命，什麼詩篇，我看都可以罷休，
歸來罷，我的兒，異鄉不可以久留；
家鄉有青的山，綠的水，幽雅的松竹，
家鄉有溫暖的家庭，天倫的樂趣，慈愛的父母……

『歸來罷，我的兒，異鄉不可以久留；
什麼革命，什麼詩篇，我看都可以罷休。
家鄉還有薄田幾畝聊可以糊口，
你又何必在外邊惹一些無謂的閒愁？
『歸來罷，我的兒，異鄉不可以久留；
什麼革命，什麼詩篇，我看都可以罷休。
歸來，歸來後免得我將你常掛在心頭，
你也免得再吃那飄零的痛苦……』

——訴　哭——

不，我的母親，你的兒吃慣了飄零的痛苦，
家園的幸福雖好，但你的兒不能安受；
我何嘗不想終身埋沒於山水的温柔，
遁入世外的桃源，離開這人間的疾苦？

但是我的母親呵，我不能夠，我不能夠！
命運注定了我要嘗遍這亂世的憂愁；
我的一顆心，牠只是燒，只是燒呀，
任冰山，呵，任冰山也不能將牠冷透！

一九二七，十，六

——哭 訴——

後 記

——哭 訴——

——訴 哭——

去年八月底從漢口回到上海，當時滿腹牢騷，一腔悲憤，苦無發洩的機會，爰提筆寫了這一首獻給母親的長詩。其實，我的母親並不認識字，至於詩中的意思，她更將無從了解；不過除開我的母親，從小就珍愛我的母親，我又將向誰哭訴呢？無論她了解我與否，但她總是要為我洒幾點同情之淚的。

算起來，我已經有七八年未歸家了。在這七八年流浪的生活中，我的心靈上也不知經受了許多創傷！這都是因為我自小就具着一副不安分的，倔强的，也可以說有幾分浪漫的性格。我不滿意於我週遭的生活，同時我又渴求自由與光明，因之我就不得不奮鬥了。可是我能有多少力量？在奮鬥的過程中，我當然是要經受創傷的，有時或因之起了一剎那的失望，但這究竟不過是一剎那的失望而已，我始終是在希望的路上走着。

我雖然經受了許多創傷，但我從未曾叫饒過，更未曾起過投降或屈服的念頭，這是我可以引以爲光榮的。這一首寫給母親的詩，未免是太悲憤了，然而也不過是太悲憤而已，其牠並沒有什麼失望或衰頽的情緒。我想，我可以痛苦，我可以奮鬥，我也可以死，但我不會失望，更不會走到衰頽的路上去。

我不是一個 Lyric 。我知道我的詩同我自己本身一樣，太政治化了，太社會化了，但這又有什麼辦法呢？這本是我的錯過，這是我的時代的錯過！倘若我不生在這個暴風雨的時代，那嗎或者我也可以寫出幾首美麗曼妙的，就如同花香鳥語的抒情詩來。但是我却生在這個暴風雨的時代，——我無法避免我的時代所給與我的使命，而且在事實上，我也從沒起過避免的念頭。也許因此，有人駡我不是詩人，駡我的詩不是詩……也好！就讓他們駡去罷！

倘若別的詩人矜持他們自己是超時代的藝術家，是美的創造者，那嗎我就矜持我自己是時代的忠實的兒子，是暴風雨的歌者。恐怕也就因此，我所經受的苦痛與創傷，是爲他們所未經受過的，而且他們將不會對我所歌吟的東西，有什麼同情的了解。……

這一首寫給母親的詩，看起來，也是很粗糙的製作，然而我却很寶貴牠，這因爲牠內中包涵着萬千的，與我同一命運的人們的眼淚，痛苦，悲憤，呼喊，及奮鬥的過程。這也許不足被稱之爲詩，然而我却很寶貴牠。近來我專注力於小說的寫作，而對於詩的寫作却完全沒有興致了。自從寫了這一首長詩之後，直到現在未曾寫過一句詩；也許我將來不再寫詩了罷？若如此，那我更要將這一首詩寶貴了呢！

因爲這個原故，所以我也就把牠印出單行本來，做爲一個紀念。

光慈。一九二八，三，十二。

光慈詩選

蔣光慈 著

現代書局（上海）一九二八年九月初版。
原書四十八開。影印所用底本封面缺。

光慈詩選

蔣光慈著

上海
現代書局
1928

目次

我的心靈 一
昨夜裏夢入天國 七
懷拜輪 一一
海上秋風歌 一九
懷都娘 二一
也或者你太過於豐豔了 二七
我要回到上海去 三一
北京 三七
在黑夜裏 四三
血祭 五九
鴨綠江上的自序詩 六三

我的心靈

我旅行在這廣漠的空間裏，
無意地吃了許多花菓；
我那知道花果的蜜汁
會變成了我的心靈呢？

我逗遛在這綿延的時間裏，
無意地聽了許多哭笑；

我那知道哭笑的音流
會變成了我的心靈呢？

我的心靈啊！
因爲你是花菓的蜜汁變成的，
你纔這般地纏綿而溫情；
因爲你是哭笑的音流變成的，
你纔這般地熱烈而深沉。

我的心靈啊，

2

風雨奔騰時，
我細聽你的慷慨歌聲；
雲霞開飛時，
我細聽你的徘徊低吟。

有時我覺着宇宙的琴流，
漫蕩着我的耳鼓；
我的心靈總是緊緊地和着——
一拍……一拍兒地低奏。

有時我覺着我的心靈飛去了，
與那全人類的心靈同化；
我雖然還聽着不斷的歌吟，
却分不清是那一個的聲音了。

有時我聽着痛苦人們的哭聲，
我的心靈就顫動着不已；
也許我的心靈故意地迫我罷，
爲什麼我因此流了許多熱淚呢？

有時我聽着强暴人們的笑聲，
我的心靈就熱跳着不已；
也許我的心靈故意地迫我罷，
爲什麼我因此生了許多厭恨呢？

我的心靈使我追慕
那百年前的拜輪：
多情的拜輪啊！
我聽見了你的歌聲了，
自由的希臘

永留着你千古的俠魂！

我的心靈使我追恍
那八十年前的海涅：
多情的海涅啊！
你爲什麽多慮而哭泣呢？
多情的詩人——
可惜你未染着十月的赤色！

一九二三，一，二。

6

昨夜裏夢入天國

昨夜裏夢入天國，
那天國位於將來嶺之巔。
牠眞給了我深刻而美麗的印象啊！
今日醒來，不由得我不長思而永念：
男的，女的，老的，幼的，沒有貴賤；
我，你，他，我們，你們，他們，打成一片：

什麼悲哀哪，怨恨哪，鬥爭哪……
在此邦連影兒也不見。

也沒都市，也沒鄉村，都是花園，
人們都住在廣大美麗的自然間。
要聽音樂罷，這工作房外是音樂館；
要去歌舞罷，那住室前面便是演劇院。

鳥兒喧喧，讚美春光的燦爛，
一聲聲引得我的心魂入迷。

這些人們眞是幸福而有趣啊！
他們時時同鳥兒合唱着幽妙曲。

花兒香薰薰的，草兒青滴滴的，
人們活潑潑地沉醉於詩境裏；
歡樂就是生活，生活就是歡樂啊！
誰個還知道死亡勞苦是什麼東西呢？

喂！此邦簡直是天上非人間！
人間何時纔能成爲天上呢？

我的心靈已染遍人間的痛跡了，
願長此逗遛此邦而不去！
一三，一〇

10

懷拜輪

若說天才是聰明的，
爲什麼天才的遭遇比人們更寥落而痛苦？
若說天才是愚鈍的，
爲什麼天才的感覺比人們更銳敏而深入？

在陰沉的黑暗的世界中，
雲霧密布，遍地淒涼，

人們屈服於權威之下方。
看啊！滿眼都是地獄，
向何處尋得着自由之鄉？
祖國既不我留，
旅居那夢想的金色的印度罷，
喂！更屬渺茫！

在人類閉塞的時候，
在權威兇逞的時候，
只聽得詩人不恭順的高叫：

12

自由，
自由，
自由……

拜輪啊！
你是黑暗的反抗者，
你是上帝的不肖子，
你是自由的歌者，
你是強暴的勁敵。
飄零啊，毀謗啊……

這是你的命運罷，
抑是社會對於天才的敬禮？

我嘗夢遊於希臘之海濱，
回憶歷史的往事，
追尋詩人俠義的跡痕。
在海波蕩漾的聲裏，
在海鳥婉叫的聲裏，
在海風嘯嗷的聲裏，
彷彿聽見當年詩人哀弔古國的悲吟。

14

我啊！
我生在東方被壓迫之邦，
我的心靈充滿了屈辱的羞憤！
百年前你哀弔希臘的不振，
百年後我今乃悲故土的沉淪。

我們同爲被壓迫者的朋友，
我們同爲愛公道正誼的人們：
當年在尊嚴的貴族院中，
你挺身保障搗毀機器的工人；

今日在解放的勞農國裏，
我高歌全世界被壓迫者的革命。
我們……永遠
反對兇殘的强盜，
反對無恥的富人，
反對作惡的上帝，
反對一切遮蔽光明的黑影。

拜輪啊！
十九世紀的你，

16

一十世紀的我，

際此詩人歿後百年的紀念，

我眞說不盡我的感想之如何！

拜輪歿後百年紀念日作。

18

海上秋風歌

海上秋風起了，
吹薄了遊子之衣；
到處都是冷鄉呵，
我向何方歸去？

海上秋風起了，
吹得了大地蒼涼；

滿眼都是悲哉啊，
望雲山而惆悵。

海上秋風起了，
吹顫了我的詩魂；
觸目頻生感慨呵，
哀祖國之飄零。

一九二五，十。

懷都娘

秋風漸漸涼起來了，
使我更憶那已到深秋的莫斯科：
樹葉想早已落盡了，
但是都娘你還是從前一樣康健麽？

『願這一張小小的畫片兒
爲你我二人永遠友愛的押禮；

維嘉！你應當常常地憶念呵！』
這是你送給我像片上的題語。

『維嘉！回到那不自由的中國去，
好好把自己的熱血攪合被壓迫人們的酸淚！
去罷！我祝你的將來……』
這是你當我臨行時的贈語。

當我臨去莫斯科的前一日，
在你的家裏，你斜臥在床上，

我摩着你的頭髮，伏着你的身子，
我的心做第一次最難受的戰慄。
『都娘！我本不願墮入情海裏，
但是現在我不能自持；
給我一個溫柔安慰的蜜吻罷！
此生我將長念而永憶。』
我大胆地向你哀說了，
却又怕聽着你的答語。

『維嘉！你是個好孩子，

我眞正地愛你且明白你；
但是我倆不過是朋友啊，
我們不必過於悲哀……分離……
你盼望着你的將來罷，
那將來可以使你愉快而欣喜。』
你竟笑嘻嘻地給了我溫柔安慰的蜜吻，
你竟很暢達地給了我溫柔安慰的答語；
你所給我的眞是無量啊！
此生我將長念而永憶。

你常爲我唱革命之歌，
你的歌聲悲壯而蒼涼；
你常爲我唱失戀之歌，
你的歌聲哀婉而悠揚。
但是現在我聽不着你的歌聲了，
空向那渺無涯際的雲天悵望！

秋風漸漸涼起來了，
使我更憶起那已到深秋的莫斯科：
樹葉想早已落盡了，

但是都娘你還是從前一樣康健嗎？

一九二一年七月

也或者你太過於豐豔了

也或者你太過於豐豔了，
我沒有被你愛的福氣；
姑娘，請你寬恕我罷！
我願永遠地將你忘記。

蜜蜂有意地飛到玫瑰花前，
本願誠意地表示心中的愛戀；

可是她既然不願領受了，
蜜蜂又何必煩惱而盤旋？

惹人的春風總是緩緩地吹，
我的心兒總是躍躍地動；
姑娘，我雖願意忘記你，
但是我懷着無涯的隱痛！

夕陽還有戀着芳草的柔情，
朝霞也得在海波中遺留片影；

但是我在你的心中啊，
是否也曾印了一點兒斑痕？

姑娘，你是一個有福氣的，
你怎能愛戀到這個無福氣的我？
我知道你難於了解我，
但是這個不了解啊，好生教我難過！

姑娘，你是一個有福氣的，
你絕不會愛戀到這個無福氣的我；

我現在願意將你忘記了，
但是這個忘記啊　教我好生難過！
一九二五，二，四。

30

我要回到上海去

我要回到上海去，
我與上海已有半年的別離；
這半年呵！我固然奔波瘦了。
上海的景象也有許多更移的。
我要回去看一看——
牠是否還像我的舊遊地。

聽說南京路堆滿了許多殷紅的血跡，
聽說英國人槍殺中國學生工人當玩意；
我要回去看一看
上海人究竟還有多少沒有死；
那殷紅的血跡是否已被風雨洗了去，
那無人性的鎗聲是否還是拍拍地不止。
聽說我的許多朋友入了監獄，
聽說有許多熱烈的男兒憤得投江死。
我要回去看一看

32

他們究竟沒有受傷的還有幾；
乘空問一問他們那鎗彈是什麽味，
他們未被打斷的還有幾條腿。

聽說上海大學被洋兵佔了去，
聽說我的學生被稱爲過激；
我要回去看一看——
我教書的老巢是否還如昔；
那學生被驅逐了向何處去，
那洋兵是不是兇狠的狗彘。

我要回到上海去！
我要回到上海去！
我要回去看一看——
那黃浦江的水是否變成了紅的；
那派來屠殺的兵艦在吳淞口一來一往的，
我要數一數牠們到底有多少隻。
我要回到上海去！
我要回到上海去！

34

我要回去看一看——

那紅頭阿三手裏的哭喪棒是否還是打人不留死；

那一些美麗的，美麗的外國花園，

是否還是門口寫着中國人與狗不準進去。

我要回到上海去！

我要回到上海去！

我要回去看一看

那些被難烈士的墳土是否還在濕；

乘空摸一摸未死人的心上是否還有熱氣，

或者他們還是卑劣的，卑劣的如豬一般的睡。

我要回到上海去，
我與上海已有半年的別離；
這半年啊！我固然奔波瘦了，
上海的面目難道還是從前一樣的？
我要回去看一看——
牠是否還像我的舊遊地。

一九二五，九，十二，於北京。

北京

北京，北京是中國的首都，
這裏充滿着冠冕的人物；
我，我是一個天涯的飄泊者，
本不應在此地徘徊而踟躕。

從前我未到北京，
聽說北京是如何的偉大驚人。

今年我到了北京，
我飽嘗了北京的汚穢的灰塵。

這裏有紅門綠院，
令我想像王公侯伯的尊嚴；
這裏有車馬如川，
令我感覺官僚政客的醜顏。

東交民巷的洋房嶄然，
東交民巷有無上的威權。

請君看一看東交民巷的圍牆上，
那裏有專門射擊中國人的砲眼。

中央公園在北京中央，
來往的人們都穿着綺袖羅裳；
請君看一看遊客的中間，
找不着一個破衣襤褸的兒郎。

北京的富家翁固然很多，
北京的窮孩子也眞不少；

諸君看一看洋車隊伍的中間，
大半都是窮孩子兩個小手拉着跑。

北京，北京是中國的首都，
這裏充滿着冠冕的人物；
我，我是一個天涯的飄泊者，
本不應在此地徘徊而踟躕。

從前我未到北京，
聽說北京是如何的繁華有趣；

40

今年我到了北京，
我感覺着北京是灰黑的地獄。

這裏有惡浪奔騰，
衝激得我神悖而不定；
這裏又慕氣沉沉，
掩襲得我頭痛而心驚。

一九二五，八，二八，於北京旅次。

42

在黑夜裏

致劉華烈士之靈

我還記得我初次遇見你，
在一間窄小不明的亭子間裏；
那時人是很有幾個呵，
但我不明白我爲什麼只驚奇地，
對於你，對於你一個人特別注意

那時你穿的灰痕點點的老布長衫，
你的頭髮蓬鬆着似許久未進理髮店；
但是你那兩隻大眼放射着勇敢的光芒，
你的神情證明你是一個英武的少年，——
這教我暗地裏時向你瞟眼偷看。

我們先談一些政治，戀愛，東西南北天。
後談到一個正題……怎麼幹？
你說，『不要緊，我去，我當先，

反正我這一條命是九死餘生的了；
爲自由，爲反抗而死的畢竟是好漢！』

你又說，『黑夜總有黎明的時候，
我不相信正義終屈服在惡魔手！
我只有奮鬥，因爲我什麼都沒有……』
你的話如火焰一般的熱烈，飛流，
你的心，你的心呵，任冰山也冷不透！

2

有一次晚上我提筆擬寫一篇「哀中國」，

我伏在棹上總是遲遲地不忍下筆寫。
我又想像我們現居的這一個世界，
是一個黑暗沉沉，陰風慘厲的永夜；
雖然永夜終有要放黎明的時候，
但是當東方未曙，朝霞未白的以前啊，
這地獄的生活如何能令人消受得?!

這個當兒門咋呀一聲，你進來了，
一個兩眼閃灼神氣英武的少年；
一時間我畏敬地向你看，『朋友，

你手裏拿的這一捲是不是傳單？」
「是呵，我們又要將血戰……明天……」
你這我對於你起一種深沉的感覺，
你……一個偉大的戰士立在我面前！

雙十節起了暴雨狂風，
天妃宮內濺滿了鮮紅的血痕；
在「打倒軍閥，打倒帝國主義」的聲中，
可惡的惡賊呵！把忠誠的黃仁送了命。
你也是這一天應被犧牲的一個呵，

但你只挨幾個老拳，總算微倖，
總算給你了再活過一年的光陰……

3

你嘗爲我述自己飄泊的歷史；
你說你是無產者　從頭算到底。
你也曾當過兵士，赴過前敵，
領略過那子彈在頭上紛飛的味；
你也曾做過苦工，受過凍餒，
深知道不幸者的命運是痛苦的。

48

你說，「就是現在當我讀書的時候，
也總未曾過過一天幸福的日子！
今天麵包，明天衣服，後天書籍……
我縱刻苦用功又哪能安心呢？
唉！朋友，我要復仇，我要反抗，
我與這黑暗的社會啊，誓不兩立！」

唉！若說人間尙有正義，
爲什麼惡者歡歌而善者哭泣？
爲什麼逸者奢淫而勞者凍餒？

難道說這都是上帝所註定的？
劉華啊！你是不幸者的代表，
你是上帝的叛徒，黑暗的勁敵！

4

你有領袖的天才，指揮的能力，
你毅然獻身於工人的羣衆裏；
數萬被外國資本家的虐待者，壓迫者，
慶幸啊，得了一個光明的柱石。

顧正紅的慘死鼓動了熱潮，

南京路的鎗聲，呼號，血濺，鬧不分曉，
就是黃浦江呵也變了紅色，
就是這偉大的上海呵也全被殺氣籠罩了。

你領着數萬被壓迫者尋找解放的路，
努力爲自由，人權，正義而奮鬥；
我想像你那奔馳勞苦的神情，
唉！我只有一句話，『偉大呵，你的身手！』

但是友人和仇敵是不並行的，

光明哪能不受黑暗的侵襲？
於是他們，被壓迫者的仇敵，
一定要，唉！一定要殺死你……

5

陰雲遮蔽了光明的太陽，
在北風削削的靜安寺路上，
一個剛出病院的少年行走着，
我們還可看出他的脚步踉蹌樣；
行走着，行走着，俯頭在思量，
忽然圍上來幾個紅頭阿三，荷着鎗，

還有兩個中國狗仔把手銬獻上：
「走！走！走！
巡捕房，巡捕房，巡捕房……」

工作太勞苦了，你便進了病院；
「罪過」太犯大了，你便入了監獄；
呵！朋友，什麼病院，監獄——一樣，
在惡魔橫行的時候橫豎無處是安樂地！
到處是黑暗，是荊棘，是囚城，
不奮鬥便有死——哪裏是逃跑的道路呢？

你當時高亢地說，「去就去，
到巡捕房裏去，到巡捕房裏去呵……
且看你們這些惡鬼將我如何處治。」

帝國主義者的惡毒，資本家的錢，
軍閥的鎗，結合起來打成一片，
於是在黑夜裏，在緊風怒號的聲中，
結果了，唉！結果了一個爭自由的少年！
四個穿黑衣的警察，一個巡官，
如陰鬼一般將你偷偷地探出荒原，

54

先脫下了你的衣服，然後嚇地一聲，
唉！完了，完了，完了呀！
你永遠地……永遠地拋卻了人間！

天空中的星星兒亂閃淚眼；
黃浦江的波浪兒在嗚咽；
這時什麼人道，正義，光明……不見面，
但聞鬼哭，神號，風嘶，夜烏在哀怨！
唉！我的朋友，我的同志，我的戰士，
你未在天妃宮內公然被走狗們打死，

55

你未在南京路口被鎗殺在羣衆前，
但在黑夜裏被劊子手偷偷地處死，——
我知道你雖死了，你的心不眠。

6

我待要買幾朵鮮花獻給你靈前，
盡盡生前同志的情誼　痛哭一番；
但誰知你死去屍身拋在何處，
在叢亂的野塚間抑在無人可尋的海邊？
或是在黃浦江中已葬了魚腹？
或是在那野僻的荒丘被野獸們飽饜？

哎喲！我的朋友呵！你死了，
但你死了這樣慘……慘……慘……

數萬工人失了一個勇敢的領袖，
現在也同我一樣揮着熱淚哭；
在他們那潔白的心房內，簡單的想像中，
這巨大的悲哀將永無盡頭。
唉！我的朋友，我的同志，我的戰士，
你雖死了，你雖慘死了，
但你的名字在人類解放的紀念碑上，

將永遠地，光榮地，放射異彩而不朽。

一九二五，十二，二一。

血祭

在此慘淡的今日，在此不可忘却的今日，
我的心靈上起了千萬層悲痛和羞憤的波紋；
我欲哭無淚，我欲號無聲，我欲殺又無兵刃，
我只有深深地悲痛，深深地羞憤！羞憤！

我憶起南京路上的鎗聲，呼號，痛跡，
和那沙堆的累累的積屍，漢江的殷紅的血水，

一切外國强盜向我們所施的殘暴，無理……
我就是叫我全身不戰慄，唉！又怎麽能夠呢？

說什麽和平正義，說什麽愛國要守秩序，
等我們都被殺完了，還有向劊子手講理的機會？
可憐的弱者呵，受人汚辱踐踏的羣衆呵，
醒醒罷！須知公理對於弱者是永遠沒有的！

頂好敵人以機關鎗打來，我們也以機關鎗打去！
我們的自由，解放，正義，在與敵人鬥爭裏。

倘若我們還講什麼和平，守什麼秩序，
可憐的弱者呵，我們將永遠地——永遠地做奴隸！

血衣亭中懸掛着許多件令人傷心慘目的血衣，
烈士墓前空擺着許多花圈，石碑和奠禮；
我們的仇還未報，我們的寃還深沉在海底，
我們如何對此今日的去年，去年的今日？

在此慘淡的今日，在此不可忘却的今日，
我的心靈上起了千萬層悲痛和羞憤的波紋；

我欲拿起劍來將敵人的頭顱砍盡，——
在光榮的烈士墓前高唱着勝利的歌吟。

五卅流血週年紀念日

鴨綠江上的自序詩

我曾憶起幼時愛讀游俠的事跡，
那時我的小心靈中早種下不平的種子；
到如今，到如今啊，我依然如昔，
我還是生活在令人難耐的不平的空氣裏。

我也曾愛幻游於美的國度裏，
我也曾做過那溫柔的蜜夢，

我也曾願終身依傍着花魂，
撫摩着那仙女的玉膩的酥胸……

但是到如今呵，消散了一切的幻影，
留下的只有這現在的，眞實的悲景！
我願閉着眼睛追尋那仙女的歌聲，
但是我的耳鼓總爲着魔鬼震動得不甯。

是的，我明白了我是爲着什麼而生存，
我的心靈已經被刺印了無數的傷痕，

我不過是一個粗暴的抱不平的歌者，
而不是在象牙塔中漫吟低唱的詩人。

從今後這美妙的音樂讓別人去細聽，
這美妙的詩章讓別人去寫我可不問；
我只是一個粗暴的抱不平的歌者，
我但願立在十字街頭呼號以終生！

朋友們，請別再稱我為詩人！
我是助你們為光明而奮鬥的鼓號，

當你們得意凱旋的時候，
我的責任也就算盡了……

一九二六，十，二八。

中華民國十七年九月十五日出版

每冊實價大洋二角

著作者 蔣光慈

發行者 上海四馬路 現代書局

鄉情集

蔣光慈 著

北新書局（上海）一九三〇年二月初版，
一九三〇年三月再版。原書三十二開。

鄉情集

蔣光慈著

上海北新書局印行

鄉情集

蔣光慈著

1930，1，1，付印

1930，2，20 初版

1930，3，20 再版

每册實價四角

鄉情集

鄉情集

一・牯嶺遺恨……一
二・鄉情……一〇
三・給某夫人的信……二四
四・我應當歸去……四〇
五・寫給母親……四八
附譯詩兩首

一·新的露西……六六
二·在火中……七八

牯嶺遺恨

在雲霧瀰濛的廬山的高峯，
有一座靜寂的孤墳，
那裏永世地躺着我的她——
我的不幸的早死的愛人。

遙隔着千里的雲山，
我的心是常環繞在她的墓前。
牯嶺的高——高入雲天，

我的恨呵——終古綿綿！

若說人生是痛苦的，
爲什麼我此生也有過一番的遭遇．
若說人生是快樂的，
爲什麼她就這樣短促地死去？

姑娘，你躺得靜靜地，
只有雲霧來做你的衣；
姑娘，你躺得靜靜地，

只有明月來與你爲侶。

可是我呵，我只有永世的悲哀；
可是我呵，我只有無涯的孤寂。
那甜蜜的過去，那不可挽回的……
姑娘，我只有空空的回憶。

本願年年來到你的墓前，
多多地流連！多多地流連！
痛哭也是好的，惆悵也是好的，

只要能深感着舊日的欣歡。

但是而今到處是荊棘連天，
旅行是這般地艱難！
只能遙遙地招魂，
不能前來墓前祭奠……

你死去了已經兩年，
這兩年我飽受了無數的悲歡，
但這是我與民衆共同的呵，

—— 4 ——

我的生活只有孤寂的一面。

我已經失去了慰安，
我與你此生是再不能相見！
這樂和苦，這辛和酸：：
姑娘呵，你怎能來和我分一半？

兩年來我也不知老了多少！
雖然我的年齡還輕——三十未到；
奈何我爲着你總是深深地傷悼，

又活活地爲着祖國的悲哀所籠罩！

曾記得我在你的面前宣言，
我的詩要歌吟着民衆的悲歡，
縱然我是飄泊，顚連，
但是我的心願永不變。

而今我的心願依然仍舊，
可是祖國雖大我難以居留；
你將如何同我一樣地悲憤呵！

— 6 —

若你還生存在人間的時候……

唉！我該有多少話要向你說！
我是如何地需要你的安慰與扶助！
但是命運注定了，注定了：：：
往日的欣歡只能向夢裏去追求。

算了罷，我也勿須多多地哭你！
你躺在那兒好好地安息！
你所給與我的我已經滿意了，

此生究竟還能與你同住了片時。

消逝了你那天生的美質，
存留着你那給與我的情義；
人生雖然就同幻夢一般，
但這幻夢裏究有不可忘却的真實。

請你放心罷，我永不會忘情！
請你放心罷，我依舊地歌吟！
我歌吟，我勇敢地歌吟，

一半爲着你，一半爲着革命。

姑娘，你躺得靜靜地，
只有雲霧來做你的衣；
姑娘，你躺得靜靜地，
只有明月來與你爲侶。

廬山的風月永遠是清幽，
你在那兒終古地漫遊，
漫遊，漫遊，朝朝與暮暮，

永遠隔絕了人世的煩憂。

讓我在生活中永遠地孤寂，
只留着對於你的一番回憶。
讓我爲着紀念你的原故，
永遠守着我那革命詩人的誓語……

一九二八・十一・六・若瑜兩週年忌日

鄉情

從故鄉來了一個友人，

向我報告了許多消息，
他說故鄉已改了面目，
完全不如那平靜的往昔。

他說兵和匪鬧不分曉，
爲官的只知道自己的腰包；
有錢的被綁票
無錢的更難熬……

我已經八年未歸故鄉了，

故鄉的情事對我久已模糊；
他向我提起來了一個人的名字，
頓令我想起兒時的景物。

在村鎮的北頭有一條小河，
小河的兩岸上有着柳林，
這裏在夏天可以聽見蟬鳴，
在冬天也不斷孩子們的蹤影。

孩子們把此地當成俱樂部，

—— 12 ——

我那時也是俱樂部的一員；
我們有時圍起樹來捉迷藏，
有時預備起宴席來，燒飯。

孩子們之中有一個黃牛，
他的父親本是抬轎的轎夫；
他的頭髮是黃的，其狀如牛，
因此得了黄牛的稱呼。

孩子們以黃牛爲可恥的賤種，

黃牛時聽着無端的惡語：
「你這黃牛，你不要討氣，
你，你是一個轎夫的兒子……」

黃牛似乎知道自己不能與人平等，
因此也就默默地忍氣吞聲，
有時被孩子們欺侮得太甚了，
便也就揮起拳頭來拚命。

那時我以為黃牛比別人都好，

他的那一副眼睛更令我發笑，
那時我的年紀還很小，
不明白黃牛到底賤在哪一條。

只有我一個人和他交好，
他們所給他的只是煩惱；
有時他們還譏笑着我說：
『你看，他同轎夫的兒子一道……』

我的父母還有點大量，

並不禁止我同黃牛來往。
有時我把他帶到家裏，
偷偷地給他幾塊米糖。

兒時的光陰就這樣地過去……
後來我進了鄰縣的高小學堂。
他的父親沒有錢送他讀書，
只把他送到孤寂的鄉間去牧羊。

我還記得我們臨別時的景象，

他的圓眼睛飽含着淚水汪汪；
他說他何嘗不想同我一樣，
怎奈沒有……有錢的爹娘……

他說他很願意進學堂，
學堂大概就同天堂一樣；
但是他現在只好去牧羊，
忍受那鄉間的雨露與風霜……

從此我們隔離在兩地，

沒有重新見面的機會，
他大約幻想着我讀書的歡娛，
我也幻想着他那牧羊的孤悽。

從此我們就兩斷了消息，
我想寫信給他也無從寫起：
一年，兩年，三年地過去了……
我也就慢慢地將他忘記。

今朝友人提起黃牛的名字，

—— 18 ——

不禁令我發生無限的欣喜；
我便追問起我的兒時的朋友，
現在是否還生活於人世。

「我鄉的農民也有點興起，
他們不如從前那般的昏愚；
這個從前爲人所鄙棄的黃牛，
現在做了農民協會的執委……

「他專與豪紳做對，

任誰也不奈他何，
從前是轎夫的兒子，
現在變成了窮人的大哥。

「那一件事情最爲有趣，
就是他把姓劉的店門封閉；
他說姓劉的過去是好佬，
現在却到了倒霉的日子。

「他說這裏有的是白米，

有的是成堆的布疋，
挨餓的來拿米，
受寒的來取衣……

『他自身是異常地乾淨，
從不亂取別人的分文，
可是他爲着窮人們着想，
引起了豪紳們的仇恨。

『豪紳們在縣中請了官兵，

誓除此地方的惡棍，
黃牛雖然想逃走，
終于犧牲了性命……

從此吾鄉聽不見了黃牛的叫鳴，
窮人們如喪了唯一的魂靈；
農民協會封閉了，
豪紳們又聖新彈冠相慶……」

友人說罷長嘆息，

我亦默默而無語；
不料被我久忘却了的黃牛，
現在又復活在我的心裏。

給某夫人的信

一

記得我們前年初遇在漢江，
正當着革命浪潮的高漲；
那時你還有一個革命的丈夫，

你也就和着他熱烈地狂嚶……

你說你很愛讀我的文章，
很想見見我是生得如何模樣，
一旦無意中與我相遇着了，
這使你感覺得無涯的快暢。

詩人都愛聽着對於自身的敬慕，
我也就難免這種難免的心情：
當時我聽了你對於我的敬慕，

不禁更向你注射了我的眼睛。

我不知我當時給了你什麽印象，
也不知你對我發生了什麽感想……。
可是你那玲瓏而活潑的神情，
令我相信你是一個十六七歲的姑娘。

在漢江我認識了許多女郎，
有的也很能令我心神嚮往；
但是夫人啊，我實在地告訴你，

我並沒曾怎樣地將你放在心上。

我本是一個流浪的詩人，
我的行踪沒有一定的地方；
等到澳江的浪潮低落了，
我又重新流浪到舊日的浦江。

別後我不知你兩夫妻何往，
我也並沒打聽你們的行踪怎樣；
聽說你的丈夫『悔過了』，

——26——

聽說你也就因之改變了意向……

啊，在我們的這殺時代，
這些事又何必多講！
也不知有多少少年人，
先前與後來的言行兩樣！……

二

是去年的夏季，有一日，
我在北四川路上閒視，

迎面來了一個女郎，
其面貌好像有點相識。

她經過我的身邊笑而不語，
我想開口又不好意思；
一時間我總是記不起，
後來我才決定了是你……

呵，你完全改變了服飾，
你穿着一身略現藍花的布衣，

—28—

往日華麗而時髦的女郎，
現在變成了這般樸素的樣子！

記得那一晚在亭子間裏，
你爲我訴起飄零的身世，
你說他飄流到南洋去了，
連你的生活都不能維持……

你說他「悔過」了還是失意，
世界上眞沒有地方講理……

你說你已經將苦吃夠了，
而況且他未必是眞愛你……

我看一看亭子間內的佈置，
不禁黯然生了同情的嘆息；
一顆易於感動的心呵，
幾乎令我爲你流了眼淚。

我說，請你別要傷悲，
請你領受我的誠意的助力，

—— 30 ——

如果你有什麼困難的時候，
我決不會忍着心兒不理。

從此我們的友誼便日見親密，
這對於我也是很好的慰藉，
因爲我是一個流浪的詩人，
從此可解一解生活的孤寂。

三

但是，夫人，我並不愛你，

雖然你向我有過幾番的表示；
這並不因爲你不是個可愛的人兒，
而是因爲我們的中間有點異趣……

記得有一晚在黃浦灘的花園裏，
那時半輪明月才初初地升起，
我們並倚着欄杆說東說西，
說到過去的生活以及將來的可懼。

你說人生沒有什麼意義，

頂好是快樂地過牠一世，
如果能嫁一個有錢的丈夫，
再不必問什麼革命與主義……

你說你已經疲倦了，
沒有前進的勇氣；
世界上儘有樂可尋，
何必再做愚蠢的傻子！

我忽然正確地明白了，

我們原是不同的人類：
你所需要的是安樂，
我所需要的却是別的……。

有一天我過門訪你，
不料你久已搬去，
我就是想去尋你，
但不知你搬到那裏。

從此我們便兩斷了消息，

— 34 —

我很奇怪你的這般行爲：
爲什麼靜悄悄地搬去了，
向我連一個字兒都不提？

若說友誼不深，
但是你待我甚爲親密；
若說友誼很深，
現在你却離開我而遠避……

四

昨天我徘徊在南京路上，
忽然在人叢中看見了你的面龐，
你穿着一身華麗的衣裳，
你完全改變了舊日的模樣……

脂粉增加了你的容光，
我不禁感覺到你美麗異常，
但是夫人呵，我往日不曾愛你，
現在更不能做這般癡想。

你與一個穿着漂亮西裝的少年同行，
你好像陶醉於他那隻挽你的臂膀；
你是那般地嫵媚，
他是那般地高亢……

我本待要前去招呼，
可是我終于沒有胆量，
誰個曉得你不至於說，
「誰認識你、你這流氓！」

呵，夫人，好好地享福罷，
因爲這正合於你的夢想；
從今後可以不必自嗟命薄了，
就是把我忘記了也是應當！

我愛的她久已死亡，
夢破了恐無再圓的希望，
但是愛情並不是我的生命，
我的生命是在我的工作上……

我亂是快要到三十歲的人了，
現在正是我應當努力的時光；
我懺悔我過去太浪漫了，
現在我要抛去一切的幻想。

我不知將來你能否還讀到我的文章，
就是讀到了恐於你也無關痛癢，
因爲從今後我們永遠地分開了，
你享你的福，我爲我的工作忙……

一九二九，二，十六。

我應當歸去

來的時候是炎熱的夏天，
轉瞬間不覺已是初冬了。
在此邦匆匆地住了三月，
我飽嘗了島國的情調……

島國的景物隨着季候而變更了。
說起來東京的風光實在比上海好。

—— 40 ——

但是我，我不知爲什麼，
一顆心兒總是繫在那祖國的天郊。

那裏，也許沒有誰向我展着微笑，
那裏，也許給我的只有煩惱，
反不如在這生疎的異國裏，
我可以有着相當的自由而逍遙。

但是我是中國人，我是中國人，
我的命運已經把我的行踪註定了。

我應當歸去，我應當歸去，
雖然我的祖國是那般地不好……

曾經起過這般的心意：
我爲什麼不常在異國流浪呢？……
但是現在我感覺得我是怎樣地
不能，不能和祖國相隔離！

縱然那裏虎狼相奔馳，
縱然那裏黑暗得如同地獄，

— 12 —

我總是深深地相信着，
光明的神終有降臨的一日。

自然，我不是nationalist，
我所信仰的是國際的統一：
日本的工人，中國的工人……
他們對於我統統都是一樣的。
但是我的血液究竟是中國的血液，
我的言語也究竟是中國的言語，

如果我這個說着中國話的詩人，
不爲着中國，而爲着誰個去歌吟呢？

我深深地深深地知道，
我所服務的或者對我訕笑，
我所仇恨的，那不用說，
更加要以仇恨向我相報……

這又有什麼辦法呢？
我並不因此而煩惱。

如果敵人能夠仇恨我，
這已經證明了我爲着友人所需要。

詛咒那兇狠的劊子手，
我的祖國不是他們的窩巢．
祝福那反抗的貧苦者，
我和他們永遠地在一道……

祖國呵，被壓迫的祖國呵，
也許你不了解我的劬勞，

但是總有一日，總有一日，
你會很親愛地將我想到。

只要有益於我所謂『偉大的』，
凡我所有的我都獻給你：
我的心靈，我的歌吟，
以及我的女神的美麗。

歸去，歸去，我應當歸去，
重新回到祖國的懷抱裏，

—— 46 ——

在羣衆痛苦和反抗的聲中，
我將找到所謂偉大的東西。

我不需要光榮的名譽，
我也不需要友人的敬禮；
只要我能盡一點能力，
那已經足以使我滿意……

什麽個人的毀譽?!讓牠去!
重要的不是在這裏!

但願在祖國的自由史上，
我也曾濺了心血的痕跡。

一九二九年十一月八日於東京

寫給母親

曾憶起我離家的那一年，那一年的春天，
那時是楊柳初綠，草兒初青，野花兒初露臉；
在一個清醒明媚的朝晨，你送我一程又一程，
我說，「母親，回去罷！」你說，「兒呵，你幾時才回來？」

你走送我，走送我到你不能再上去的山巔，
你目送我，目送我到林木遮蔽着不能再見；
你只希望我，叮嚀我『我的兒呵，暑假早歸來！』
又誰知一別七年，到而今我還是未返家園。

就在離家這一年的春天，我離開了悲哀的祖國，
跑到那冰天雪地的冷土，探求那新邦的生活；
我是毅然地，冒險地，但同時又是偷偷地跑脫，
呵，我的母親，請你寬恕我，我沒有給你字兒一個。

我經受了海船的顛簸，度過了驚人的炮火；
我喫飽了西比利亞的霜風，沐浴了荒漠的風波，
在飢餓，危險，寒冷，困苦之中我尋到了，
呵，我尋到了我的最後的目的地，夢想的北國。

摩西哥變成了我的親愛的乳娘，給了我許多培養；
摩西哥變成了我的第二故鄉，我將留戀牠永遠不忘。
可是我還有我的母親，我還有我的原來的故鄉，
我遺忘不了悲哀的祖國，母親，我也不能將你遺忘。

過了四年，別了，我的親愛的乳娘！
過了四年，別了，我的第二故鄉！
我要回去看看母親，因爲母親你正爲着我而惆悵；
我要回去看看祖國，因爲祖國而今已弄得滿目荒涼……

歸國後，東西飄零，南北奔走，無所駐足；
祖國雖大，但是沒有地方給與我以安穩的勾留，
我屢次想回來親親我那清靜的美麗的家園，
看看那如黛的青山，幽雅的松竹，兒時游泳的河灣……

但是滿目荒涼的祖國，而今到處是炮火烽烟，令人膽寒，
家園的歸路久已不通，家園已非昔日的家園。
我的母親呵，我雖然想回來看看你衰老的容顏，
但是我又怎麽能夠呢？我只空有這回家的心願！

一年，兩年，三年，你的望眼將穿；
一年，兩年，三年，我的歸心似箭；
我要回來看看母親而不能夠回來，
你要見見你的兒子而不能夠相見。

呵！今日的中國乃一塊荊棘蓬蔓的荒原！
呵！今日的中國人弄得骨肉都不能團圓！
母親，我的可憐的母親，我的親愛的母親！
還將如何是好呢，難道說是命運使然？……

歸國後，匆匆地，茫然地，不覺轉瞬已三年，
這其間我所領受的羞辱，苦痛，真是不堪言！
母親呵，我現在只有向你哭訴，只有向你哭訴，
因爲在別人面前示弱，乞憐，哀語，我心不甘願。

往日的朋友有許多發財的發財，做官的做官，
今日的朋友也不少投降的投降，丟臉的丟臉。
但是母親呵，你給與了我這一副鐵一般的骨頭，
我只知道倔強，抵抗，悲憤，頑固，至死也不變。

而今的世界貴的是強奪，卑污，下賤，拍馬與鑽營……
哪裏能容留我這一個倔強不化的，傲骨的詩人？
雖然是有許多往日的朋友肥馬輕裘地顯得多麼威榮；
但是母親呵，我得到的只是窮困，窮困與窮困。

照俗風，讀書原來是爲着褒揚父母，光耀門庭，
但是母親呵，不幸你的兒子讀了書反遭窮困；
到今日我未寄過你點兒禮物，半個銅子！
異鄉的銀錢雖多，但是你的兒子沒有享受的福分。

曾記得幼時，幾個窮苦的母舅對我的希望，
他們希望我將來做官發財，改一改他們的窘狀；
可是而今我成爲一個窮困的流浪的詩人，
只得將他們的希望付與汪洋，請他們原諒。

母親呵！而今的世界到處可聽着窮苦的哀鳴，
這哀鳴只逼得你的心軟的兒子神魂不定；
他要爲着一般窮苦的人們多多地多多地歌吟，
但無能力顧及幾個窮苦的母舅，自己的親人……

曾憶起幼時我愛讀遊俠的事跡，
那時我的小心靈中早種下不平的種子；
到如今，到如今呵，我依然如昔，
我還是生活在令人難耐的不平的空氣裏。

不平的生活逼得我走入瘋狂；
不平的生活逼得我氣破胸膛。
母親呵，我抱怨你給了我這副鉄一般的骨頭，
不能卑屈地追隨着那濁流的波蕩。

而今的世界是黑暗的地獄，兇殘的屠場，
只有無目的人能夠安居，心死的人方能覩望；
但是母親呵，我的目在明亮，我的心在緊張，
我怎能夠，唉，我怎能夠靜默着不發一點兒聲響？

我恨不能跑到那高入雲霄的崑崙山巔，
在那裏做巨大的，如霹靂一般的狂喊；
我恨不能傾瀉那浩蕩無際的東海的洪波，
洗盡人類的羞辱，殘忍，悲痛與汚點。

呵，我只恨，我只恨，我的心願大而能力小，
我欲衝破重圍，而敵人據着堅固的營壘，
我幾次負傷，我幾次心痛，我幾次悲號，……
但是我呵，我終於不會爲羞辱的脫逃。

—— 58 ——

祖國而今變成了鬼氣森森的死城，
無論走幾步你都要嗅着血肉的羶腥！
往日的殺人是稀有的新聞，動人觀聽，
但是而今呵，這新聞已經不成其爲新聞……

今年的黃浦江中鼓蕩着血潮，
偌大的上海城但聞鬼哭與神號；
無數的弟兄他們就此被惡魔葬送了，
遺留下的，呵，只有這嗚咽的浪濤。

今年的龍華桃花盛行開放，
紅豔的花瓣兒隨着那春風飄蕩；
呵，這不是花瓣兒，這不是花瓣兒，
還是那些被犧牲的人們的血光。

母親呵，我簡直要瘋狂，我簡直要瘋狂！
我的這一點慈柔的心靈怎經得這般摧喪；
我幾番想道，我還是追隨着他們死去能，
我眞是再忍受不下了這些食人的魑魎。

我幾番立在黃鶴樓頭向着雲山痛哭，
我的悲憤助長了那滾滾的江漢的波流；
那滾滾的江漢的波流似乎嗚咽地說道；
「詩人呵，痛哭罷，祖國而今到了淪亡的時候……」

唉！不說起也罷，說起來我的心痛如刀絞！
我縱想到黑暗，我也沒想到會有黑暗的今朝。
什麼是正義，人道，現在只是殘忍與橫暴……
呵，我的祖國呵，難道說你的命運就長此以終了！？

我幾次想投筆從軍，將筆桿換爲槍桿，
祖國已經要淪亡了，我還寫什麼無用的詩篇？
而今的詩人是廢物了，強者應握有槍桿，
我應當勇敢地荷着武器與敵人相見於陣前……

呵，戰死了罷，戰死了罷，戰死在陣前！
死時的失敗，我相信，勝於活時的偸安，
這敵人，這敵人，我眞不願與他們並立在世間，
不是我們被他們殺死呀，就是他們死在我們前。

—62—

我爲我自己羞，我爲我自己笑：
無用的詩人呵，你不能將祖國來救！
停止你的歌吟罷，不要空自做無力的憂愁；
焚毀你的詩篇罷，應顯一顯男兒的身手！

母親呵，我知道你不能明白我心靈的要求，
你聽了我的話，你一定將你的雙眉緊皺：
「我的兒，你枉自懷着這些悲憤與憂愁，
這些都不是你應管的事情，何不能休？

『什麼革命，什麼詩篇，我看都可以罷休，
歸來罷，我的兒，異鄉不可以久留；
家鄉有青的山，綠的水，幽雅的松竹，
家鄉有溫暖的家庭，天倫的樂趣，慈愛的父母……

『歸來罷，我的兒，異鄉不可以久留；
什麼革命，什麼詩篇，我看都可以罷休。
家鄉還有薄田幾畝聊可以糊口，
你又何必在外邊惹一些無謂的閒愁？

「歸來罷，我的兒；異鄉不可以久留；
什麼革命，什麼詩篇，我看都可以罷休。
歸來，歸來後免得我將你常掛在心頭，
你也免得再受那飄零的痛苦……」

不，我的母親，你的兒吃慣了飄零的痛苦；
家園的幸福雖好，但你的兒不能安受；
我何嘗不想終身埋沒於山水的溫柔，
遁入世外的桃源，離開這人間的疾苦？

但是我的母親呵，我不能夠，我不能夠！
命運注定了我要嘗遍這亂世的憂愁；
我的一顆心，牠只是燒，只是燒呀，
任冰山，呵，任冰山也不能將牠冷透！

一九二七，十，六。

新的露西

葉賢林著

那一種狂風已經過了，我們保全的很少。

——66——

數一數舊日的交情，很多的友人沒有了。
我重新回轉我的荒蕪的窮鄉，
這窮鄉我離整掉有八年未歸了。

我喊誰呢？我同誰個分一分
那種悲苦歡欣——我還在人世間生存？
這裏就是如木鳥一般的風車
也立着不動，向我閉着眼睛。

這裏我誰個也不認識，

那些曾憶念我的，現在久已忘記。
往日的我的家園的故屋，
現在遺留的只是些灰燼的殘跡。

而生活是這樣地沸騰。
環繞着我的來往一些
年老的與年青的人們，
但是我却沒有向什麼人可以致敬，
無論在誰個的眼睛裏都是陌生。

—— 68 ——

於是在我的腦海裏起了波浪！
這難道說是我的家鄉？
這一切是夢的景象？
在這裏我宛然成了一個孤寂的旅客，
來自那逍遙的異邦。

唉！這是我呵！
我是這一鄉村的公民，
或者這一鄉村也就因此而要出名：
在這裏曾經有一個女人，

生了一個俄羅斯的撤爛汚的詩人。

但是思想的聲音向我的心靈說道：
「醒醒罷！什麼東西得罪你了？
這不過是茅屋中的別一輩的人們，
他們爲新的光焰所燃燒。」

「你已經有點凋謝了，
別的青年歌着別的歌吟。
他們將成爲更有趣味的人們，

—— 70 ——

已經不是一村而是全地球做他們的母親。」

唉，故鄉呵！我成了一個怎樣可笑的人！
在憔悴的腮龐上飛漲着枯燥的紅暈。
同鄉的言語對於我是毫不分明，
在自己的國土內，我宛然是一個外邦人。

我看見：
星期日的村人，
聚集於村鎮，就如進廟堂一樣。

用着粗糙的，不淨的言語，
他們討論自己生活的狀况。
已經夜晚了。金色的暮光，
覆罩着灰色的田場，
牛羊歸欄了，
牧童隨着晚風歌唱。

一個跛足的紅兵，
回憶着過去的事情，
向人們訴說布烱將軍的面目，

及紅軍們如何佔領了別列可浦。
『我們將他們——一・二、三，四，——
只打得他們落花流水』……
這使得樹木也將枝葉豎起，
女人們驚訝得難於自已。

從山上走下來一隊青年團員，
他們按着手琴，好像樂意無邊；
他們歌唱着白德內宜的詩歌，
活潑的歌聲震動平原。

呵，這是怎樣的國度啊！
在詩中我如何能說
我與民衆有着很厚的友情？
此地不再需要我的詩了，
是的啊，我自己在此地也成了廢人。

唉，怎樣呢？
請原諒我罷，親愛的故鄉！
我已經於你有點効勞——我已經滿意了。

讓今天他們不再歌唱我能，——
當我唱時，那時我的故鄉是病了。

我領受一切。
凡是有的我都受領。
我準備照着開闢的道路前行，
將全身心都獻於十月和五月的命運，
但我要留下的只是親愛的鳴琴。

我不給與她到任何人的身手——

不給母親，不給妻子，也不給朋友。
僅僅她交給我了自己的聲音，
也只有她僅僅爲我而溫存地歌吟。

煥發罷，青年人！康健罷，你們的身體！
你們過的是別一種生活，你們歌的是別一種歌吟
而我走向那孤獨的寂境，
永遠地去平一平我的暴燥的魂靈。

但是就是那時候，

—— 76 ——

當全宇宙完全地
經過了民族的仇視，
消滅了痛苦與虛僞，——
我還是將全身心地
歌吟着
那地球的六分之一，
牠的簡短的名字叫做『露西』。

在火中

亞歷山大洛夫斯基著

一

那時又是害羞又是歡欣，
在我們這些粗魯的人們中間，
你拿起槍來瞄準，
緊緊地擠着你的左眼。

你預備充當一個兵士，
我常暗暗地注意你，
我想算做你的兄弟，
爲着要覺着多有點力氣……

曾談論過許多不相干 事情：
談論到戲院，也談論到南方的夜裏……
在你臨別的灰色的眼光中，
令人感覺得你是那樣天眞而又固執……

二

驚慌的，恐怖的時日，
南方的，勇敢的兵士……
火車頭的烟筒是很高傲地叫號，
火車站瀰瀰地爲着烟霧所籠罩……

緊緊的密密的行伍
在狹窄的月台上站立；
火車廂張着大口
將兵士們很迅速地吞食……

我與你的傲慢的眼光相遇，
顫動了豎起的雙眉……
別了！別要忘記！
我為你預備着婚禮。

三

血液迷濛着時口，
饑餓廢除了牙齒；
弱者生活於希望裏，
當恐怖佈滿了人世。

生活因太緊張了而無力。
也沒有燃料，也沒有煤。
可是對於怯懦者，唉，

一天一天地只有不好的消息。
死亡者枕籍，
墳墓的數量是日漸地增長，
生活爲死亡所侵佔住了，
唉，該消滅了多少力量！
在生活裏沒有了溫情的東西——
戰爭已經成了平常的事體，——
在那遙遠的雪原上，

染印着鮮紅的血跡。

四

裝甲的列車，
張着猙獰的大眼，
開向了前線。
那等待是很不耐煩，
當東方快要發白了，
朦朧地已看見了天邊………

謹愼的電報的語句
鼓動了這窮鄉僻壤的驚慌，
陡然發生了莫明其妙的緊張；
在市場上，聚集了許多人羣，
他們輕輕地，然而很多地談講，
有的抱着善意，有的在怨望。

一隊一隊的軍隊
接連着開向南方與北方，
到那緊要的陣地；

我們曾相信：我們總歸要勝利！
俄羅斯在自己的胸坎上，
已經樹立了永遠幸福的權利！……

五

啊！有一天在輸送
病的與受傷的兵士，
我與你的灰白而失神的目光
無意中相遇。

忽然我的喉中如生了什麼東西也似的，
我走向堅硬的石壁；
你將左手伸向我，
唉，那時我是忍不住了眼淚。

人們將你抬入醫室，
我忘記問你關於什麼重要的東西；
我踉蹌地在昏迷中來去，
喪失了氣力。

我不曾知道，你對我是這樣地寶貴，
這時才覺得我是怎樣地對你。
火車在震動着，
我的心兒就如受了打擊……

六

在行營的病室裏是異常地靜寂，
一個老看護婦坐着不出一點兒聲息；
太陽的光就如銀灰鼠一樣，
穿繞過這屋宇沿前的白柱子。

你向我輕輕地述語，
你的微弱的聲音有時覺得斷碎；
一切的恐怖都消逝了，
幻想又重新穿上了綠衣………

滿城爲勝利所沉醉，
死者的血已潤澤了土地………
這些吼叫的時日
向歐洲散佈了震動的標語………

—— 88 ——

七

重新又是車站。
你向着非常的幸福而微笑。
在火車廂的大口中，
又重新飛出『烏拉』的喊叫。

你第二次又開走了；
燃燒着幸福的紅火…… ……
在這些時日內

沒有個人的生活………

八

………死了！………
這又有何言呢？——
一點血痕
將化成鮮豔的寶石，
閃耀於紅色的旗幟；
偉大的——將永遠不死，
呵，該有多少少年人

—— 90 ——

飲着不死的酒漿，
和那光榮的玉液！……

詩歌

書名	著者	實價
野草	魯迅著	四角
揚鞭集 上卷	劉半農著	四角半
揚鞭集 中卷	劉半農著	六角
瓦釜集	劉半農著	四角
春水	冰心女士著	五角
良夜與惡夢	石民著	四角
浪花	CF著	五角
露絲	謝康著	四角
食客與凶年	李金髮著	六角